P9-EJT-610
D0037791
ражает сердечную благодарн
то прислал в наш адрес советы и
произведений для издания в серии
я сотрудничества и ждём ваших
аний.

СМЕШНЫЕ РАССКАЗЫ О ШКОЛЕ

Художник
Геннадий Соколов

ВИКТОР ДРАГУНСКИЙ

ГЛАВНЫЕ РЕКИ

Хотя мне уже идёт девятый год, я только вчера догадался, что уроки всё-таки надо учить. Любишь не любишь, хочешь не хочешь, лень тебе или не лень, а учить уроки надо. Это закон. А то можно в такую историю вляпаться, что своих не узнаешь. Я, например, вчера не успел уроки сделать. У нас было задано выучить кусочек из одного стихотворения Некрасова и главные реки Америки. А я, вместо того чтобы учиться, запускал во дворе змея в космос. Ну, он в космос всё-таки не залетел, потому что у него был чересчур лёгкий хвост, и он из-за этого крутился, как волчок. Это раз. А во-вторых, у меня было мало ниток, и я весь дом обыскал и собрал все нитки, какие только были; у мамы со швейной машины снял, и то оказалось мало. Змей долетел до чердака и там завис, а до космоса ещё было далеко.

И я так завозился с этим змеем и космосом, что совершенно позабыл обо всём на свете. Мне было так интересно играть, что я и думать перестал про какие-то там уроки. Совершенно вылетело из головы. А оказалось, никак нельзя было забывать про свои дела, потому что получился позор.

Я утром немножко заспался, и, когда вскочил, времени оставалось чуть-чуть... Но я читал, как ловко одеваются пожарные,— у них нет ни одного лишнего движения, и мне до того это понравилось, что я пол-лета тренировался быстро одеваться. И сегодня я как вскочил и глянул на часы, то сразу понял, что одеваться надо, как на пожар. И я оделся за одну минуту сорок восемь секунд весь, как следует, только шнурки зашнуровал через две дырочки. В общем, в школу я поспел вовремя и в класс тоже успел примчаться за секунду до Раисы Ивановны. То есть она шла себе потихоньку по коридору, а я бежал из раздевалки (ребят уже не было никого). Когда я увидел Раису Ивановну издалека, я припустился во всю прыть и, не доходя до класса каких-нибудь пять шагов, обошёл Раису Ивановну и вскочил в класс. В общем, я выиграл у неё секунды полторы, и, когда она вошла, книги мои были уже в парте, а сам я сидел с Мишкой как ни в чём не бывало. Раиса Ивановна вошла, мы встали и поздоровались с ней, и громче всех поздоровался я, чтобы она видела, какой я вежливый. Но она на это не обратила никакого внимания и ещё на ходу сказала:

— Кораблёв, к доске!

У меня сразу испортилось настроение, потому что я вспомнил, что забыл приготовить уроки. И мне ужасно не хотелось вылезать из-за своей родимой парты. Я прямо к ней как будто приклеился. Но Раиса Ивановна стала меня торопить:

— Кораблёв! Что же ты? Я тебя зову или нет?

И я пошёл к доске.

Раиса Ивановна сказала:

— Стихи!

Чтобы я читал стихи, какие заданы. А я их не знал. Я даже плохо знал, какие заданы-то. Поэтому я моментально подумал, что Раиса Ивановна тоже, может быть, забыла, что задано, и не заметит, что я читаю. И я бодро завёл:

Зима!.. Крестьянин, торжествуя,
На дровнях обновляет путь:
Его лошадка, снег почуя,
Плетётся рысью как-нибудь...

— Это Пушкин,— сказала Раиса Ивановна.

— Да,— сказал я,— это Пушкин. Александр Сергеевич.

— А я что задала? — сказала она.

— Да! — сказал я.

— Что «да»? Что я задала, я тебя спрашиваю? Кораблёв!

— Что? — сказал я.

— Что «что»? Я тебя спрашиваю: что я задала?

Тут Мишка сделал наивное лицо и сказал:

— Да что он, не знает, что ли, что вы Некрасова задали? Это он не понял вопроса, Раиса Ивановна.

Вот что значит верный друг. Это Мишка таким хитрым способом ухитрился мне подсказать. А Раиса Ивановна уже рассердилась:

— Слонов! Не смей подсказывать!

— Да! — сказал я.— Ты чего, Мишка, лезешь? Без тебя, что ли, не знаю, что Раиса Ивановна задала Некрасова! Это я задумался, а ты тут лезешь, сбиваешь только.

Мишка стал красный и отвернулся от меня. А я опять остался один на один с Раисой Ивановной.

— Ну? — сказала она.

— Что? — сказал я.

— Перестань ежеминутно чтокать!

Я уже видел, что она сейчас рассердится как следует.

— Читай. Наизусть!

— Что? — сказал я.

— Стихи, конечно! — сказала она.

— Ага, понял. Стихи, значит, читать? — сказал я.— Это можно.— И громко начал: — Стихи Некрасова. Поэта. Великого поэта.

— Ну! — сказала Раиса Ивановна.

— Что? — сказал я.

— Читай сейчас же! — закричала бедная Раиса Ивановна.— Сейчас же читай, тебе говорят! Заглавие!

Пока она кричала, Мишка успел мне подсказать первое слово. Он шепнул. Не разжимая рта, но я его прекрасно понял. Поэтому я смело выдвинул ногу вперёд и продекламировал:

— Мужичонка!

Все замолчали, и Раиса Ивановна тоже. Она внимательно смотрела на меня, а я смотрел на Мишку ещё внимательнее.

Мишка показывал на свой большой палец и зачем-то щёлкал его по ногтю.

И я как-то сразу вспомнил заглавие и сказал:

— С ноготком! — И повторил всё вместе: — Мужичонка с ноготком!

Все засмеялись. Раиса Ивановна сказала:

— Довольно, Кораблёв!.. Не старайся, не выйдет. Уж если не знаешь, не срамись.

Потом она добавила:

— Ну, а как насчёт кругозора? Помнишь, мы вчера сговорились всем классом, что будем читать и сверх программы интересные книжки? Вчера вы решили выучить названия всех рек Америки. Ты выучил?

Конечно, я не выучил. Этот змей, будь он неладен, совсем мне всю жизнь испортил. И я хотел во всём признаться Раисе Ивановне, но вместо этого вдруг неожиданно даже для самого себя сказал:

— Конечно, выучил. А как же!

— Ну вот, исправь это ужасное впечатление, которое ты произвёл чтением стихов Некрасова. Назови мне самую большую реку Америки, и я тебя отпущу.

Вот когда мне стало худо. Даже живот заболел, честное слово. В классе была удивительная тишина. Все смотрели на меня. А я смотрел в потолок. И думал, что сейчас уже наверняка я умру. До свидания, все!

И в эту секунду я увидел, что в левом последнем ряду Петька Горбушкин показывает мне какую-то длинную газетную ленту, и на ней что-то намалёвано чернилами, толсто намалёвано, наверное, он пальцем писал. И я стал вглядываться в эти буквы и наконец прочёл первую половину.

А тут Раиса Ивановна снова:

— Ну, Кораблёв? Какая же главная река в Америке?

У меня сразу же появилась уверенность, и я сказал:

— Миси-писи.

Дальше я не буду рассказывать. Хватит. И хотя Раиса Ивановна смеялась до слёз, но двойку она мне влепила будь здоров. И я теперь дал клятву, что буду учить уроки всегда. До глубокой старости.

«ГДЕ ЭТО ВИДАНО, ГДЕ ЭТО СЛЫХАНО...»

На переменке подбежала ко мне наша октябрятская вожатая Люся и говорит:

— Дениска, а ты сможешь выступить в концерте? Мы решили организовать двух малышей, чтобы они были сатирики. Хочешь?

Я говорю:

— Я всё хочу! Только ты объясни: что такое сатирики?

Люся говорит:

— Видишь ли, у нас есть разные неполадки... Ну, например, двоечники или лентяи, их надо прохватить. Понял? Надо про них выступить, чтобы все смеялись, это на них подействует отрезвляюще.

Я говорю:

— Они не пьяные, они просто лентяи.

— Это так говорится: отрезвляюще,— засмеялась Люся.— А на самом деле просто эти ребята призадумаются, им станет неловко, и они исправятся. Понял? Ну, в общем, не тяни: хочешь — соглашайся, не хочешь — отказывайся!

Я сказал:

— Ладно уж, давай!

Тогда Люся спросила:

— А у тебя есть партнёр?

— Нету.

Люся удивилась:

— Как же ты без товарища живёшь?

— Товарищ у меня есть, Мишка. А партнёра нету.

Люся снова улыбнулась:

— Это почти одно и то же. А он музыкальный, Мишка твой?

— Нет, обыкновенный.

— Петь умеет?

— Очень тихо. Но я научу его петь громче, не беспокойся.

Тут Люся обрадовалась:

— После уроков притащи его в малый зал, там будет репетиция!

И я со всех ног пустился искать Мишку. Он стоял в буфете и ел сардельку.

— Мишка, хочешь быть сатириком?

А он сказал:

— Погоди, дай поесть.

Я стоял и смотрел, как он ест. Сам маленький, а сарделька толще его шеи. Он держал эту сардельку руками и ел прямо целой, не разрезая, и шкурка трещала и лопалась, когда он её кусал, и оттуда брызгал горячий пахучий сок.

И я не выдержал и сказал тёте Кате:

— Дайте мне, пожалуйста, тоже сардельку, поскорее!

И тётя Катя сразу протянула мне мисочку. И я очень торопился, чтобы Мишка без меня не успел съесть свою сардельку: мне одному не было бы так вкусно. И вот я тоже взял свою сардельку руками и тоже, не чистя, стал грызть её, и из неё брызгал горячий пахучий сок. И мы с Мишкой так грызли на пару, и обжигались, и смотрели друг на дружку, и улыбались.

А потом я ему рассказал, что мы будем сатирики, и он согласился, и мы еле досидели до конца уроков, а потом побежали в малый зал на репетицию.

Там уже сидела наша вожатая Люся, и с ней был один парнишка, приблизительно из четвёртого, очень некрасивый, с маленькими ушами и большущими глазами.

Люся сказала:

— Вот и они! Познакомьтесь, это наш школьный поэт Андрей Шестаков.

Мы сказали:

— Здоро́во!

И отвернулись, чтобы он не задавался.

А поэт сказал Люсе:

— Это что, исполнители, что ли?

— Да.

Он сказал:

— Неужели ничего не было покрупней?

Люся сказала:

— Как раз то, что требуется!

Но тут пришёл наш учитель пения Борис Сергеевич. Он сразу подошёл к роялю:

— Нуте-с, начинаем! Где стихи?

Андрюшка вынул из кармана какой-то листок и сказал:

— Вот. Я взял размер и припев у Маршака, из сказки об ослике, дедушке и внуке: «Где это видано, где это слыхано...»

Борис Сергеевич кивнул головой:

— Читай вслух!

Андрюшка стал читать:

Папа у Васи силён в математике,
Учится папа за Васю весь год.
Где это видано, где это слыхано,—
Папа решает, а Вася сдаёт?!

Мы с Мишкой так и прыснули. Конечно, ребята довольно часто просят родителей решить за них задачу, а потом показывают учительнице, как будто это они такие герои. А у доски ни бум-бум — двойка! Дело известное. Ай да Андрюшка, здо́рово прохватил! А Андрюшка читает дальше, так тихо и серьёзно:

Мелом расчерчен асфальт на квадратики,
Манечка с Танечкой прыгают тут.
Где это видано, где это слыхано,—
В «классы» играют, а в класс не идут?!

Опять здóрово. Нам очень понравилось! Этот Андрюшка — просто настоящий молодец, вроде Пушкина!

Борис Сергеевич сказал:

— Ничего, неплохо! А музыка будет самая простая, что-нибудь в этом роде.— И он взял Андрюшкины стихи и, тихонько наигрывая, пропел их все подряд.

Получилось очень ловко, мы даже захлопали в ладоши.

А Борис Сергеевич сказал:

— Нуте-с, кто же наши исполнители?

А Люся показала на нас с Мишкой:

— Вот!

— Ну что ж,— сказал Борис Сергеевич,— у Миши хороший слух... Правда, Дениска поёт не очень-то верно.

Я сказал:

— Зато громко.

И мы начали повторять эти стихи под музыку и повторили их, наверно, раз пятьдесят или тысячу, и я очень громко орал, и все меня успокаивали и делали замечания:

— Ты не волнуйся! Ты тише! Спокойней! Не надо так громко!

Особенно горячился Андрюшка. Он меня совсем затормошил. Но я пел только громко, я не хотел петь потише, потому что настоящее пение — это именно когда громко!

...И вот однажды, когда я пришёл в школу, я увидел в раздевалке объявление:

ВНИМАНИЕ!
Сегодня на большой перемене
в малом зале состоится выступление
летучего патруля
«Пионерского Сатирикона»!
Исполняет дуэт малышей!
На злобу дня!
Приходите все!

И во мне сразу что-то ёкнуло. Я побежал в класс. Там сидел Мишка и смотрел в окно.

Я сказал:

— Ну, сегодня выступаем!

А Мишка вдруг промямлил:

— Неохота мне выступать...

Я прямо оторопел. Как — неохота? Вот так раз! Ведь мы же репетировали? А как же Люся и Борис Сергеевич? Андрюшка? А все ребята, ведь они читали афишу и прибегут как один? Я сказал:

— Ты что, с ума сошёл, что ли? Людей подводить?

А Мишка так жалобно:

— У меня, кажется, живот болит.

Я говорю:

— Это со страху. У меня тоже болит, но я ведь не отказываюсь!

Но Мишка всё равно был какой-то задумчивый. На большой перемене все ребята кинулись в малый зал, а мы с Мишкой еле плелись позади, потому что у меня тоже совершенно пропало настроение выступать. Но в это время нам навстречу выбежала Люся, она крепко схватила нас за руки и поволокла за собой, но у меня ноги были мягкие, как у куклы, и заплетались. Это я, наверно, от Мишки заразился.

В зале было огорожено место около рояля, а вокруг столпились ребята из всех классов, и няни, и учительницы.

Мы с Мишкой встали около рояля. Борис Сергеевич был уже на месте, и Люся объявила дикторским голосом:

— Начинаем выступление «Пионерского Сатирикона» на злободневные темы. Текст Андрея Шестакова, исполняют всемирно известные сатирики Миша и Денис! Попросим!

И мы с Мишкой вышли немножко вперёд. Мишка был белый, как стена. А я ничего, только во рту было сухо и шершаво, как будто там лежал наждак.

Борис Сергеевич заиграл. Начинать нужно было Мишке, потому что он пел первые две строчки, а я должен был петь вторые две строчки. Вот Борис Сергеевич заиграл, а Мишка выкинул в сторону левую руку, как его научила Люся, и хотел было запеть, но опоздал, и, пока он собирался, наступила уже моя очередь, так выходило по музыке. Но я не стал петь, раз Мишка опоздал. С какой стати!

Мишка тогда опустил руку на место. А Борис Сергеевич громко и раздельно начал снова.

Он ударил, как и следовало, по клавишам три раза, а на четвёртый Мишка опять откинул левую руку и наконец запел:

Папа у Васи силён в математике,
Учится папа за Васю весь год.

Я сразу подхватил и прокричал:

Где это видано, где это слыхано,—
Папа решает, а Вася сдаёт?!

Все, кто был в зале, рассмеялись, и у меня от этого стало легче на душе. А Борис Сергеевич поехал дальше. Он снова три раза ударил по клавишам, а на четвёртый Мишка аккуратно выкинул левую руку в сторону и ни с того ни с сего запел сначала:

Папа у Васи силён в математике,
Учится папа за Васю весь год.

Я сразу понял, что он сбился! Но раз такое дело, я решил допеть до конца, а там видно будет. Взял и допел:

Где это видано, где это слыхано,—
Папа решает, а Вася сдаёт?!

Слава богу, в зале было тихо — все, видно, тоже поняли, что Мишка сбился, и подумали: «Ну что ж, бывает, пусть дальше поёт».

А музыка в это время бежала всё дальше и дальше. Но Мишка был какой-то зеленоватый.

И когда музыка дошла до места, он снова вымахнул левую руку и, как пластинка, которую заело, завёл в третий раз:

Папа у Васи силён в математике,
Учится папа за Васю весь год.

Мне ужасно захотелось стукнуть его по затылку чем-нибудь тяжёлым, но я заорал со страшной злостью:

> Где это видано, где это слыхано,—
> Папа решает, а Вася сдаёт?!

Мишка, ты, видно, совсем рехнулся! Ты что в третий раз одно и то же затягиваешь? Давай про девчонок!

А Мишка так нахально:

— Без тебя знаю! — И вежливо говорит Борису Сергеевичу: — Пожалуйста, Борис Сергеевич, дальше!

Борис Сергеевич заиграл, а Мишка вдруг осмелел, опять выставил свою левую руку и на четвёртом ударе заголосил как ни в чём не бывало:

> Папа у Васи силён в математике,
> Учится папа за Васю весь год.

Тут все в зале прямо завизжали от смеха, и я увидел в толпе, какое несчастное лицо у Андрюшки, и ещё увидел, что Люся, вся красная и растрёпанная, пробивается к нам сквозь толпу. А Мишка стоит с открытым ртом, как будто сам на себя удивляется. Ну, а я, пока суд да дело, докрикиваю:

> Где это видано, где это слыхано,—
> Папа решает, а Вася сдаёт?!

Тут уж началось что-то ужасное. Все хохотали как зарезанные, а Мишка из зелёного стал фиолетовым. Наша Люся схватила его за руку и утащила к себе. Она кричала:

— Дениска, пой один! Не подводи!.. Музыка! И!..

А я стоял у рояля и решил не подвести. Я почувствовал, что мне стало всё равно, и, когда дошла музыка, я почему-то вдруг тоже выкинул в сторону левую руку и совершенно неожиданно завопил:

Папа у Васи силён в математике,
Учится папа за Васю весь год...

Я даже плохо помню, что было дальше. Было похоже на землетрясение. И я думал, что вот сейчас провалюсь совсем под землю, а вокруг все просто падали от смеха — и няни, и учителя, все, все...

Я даже удивляюсь, что я не умер от этой проклятой песни.

Я, наверно бы, умер, если бы в это время не зазвонил звонок...

Не буду я больше сатириком!

СМЕРТЬ ШПИОНА ГАДЮКИНА

Оказывается, пока я болел, на улице стало совсем тепло и до весенних наших каникул осталось два или три дня. Когда я пришёл в школу, все закричали:

— Дениска пришёл, ура!

И я очень обрадовался, что пришёл и что все ребята сидят на своих местах — и Катя Точилина, и Мишка, и Валерка,— и цветы в горшках, и доска такая же блестящая, и Раиса Ивановна весёлая, и всё, всё как всегда. И мы с ребятами ходили и смеялись на переменке, а потом Мишка вдруг сделал важный вид и сказал:

— А у нас будет весенний концерт!

Я сказал:

— Ну да?

Мишка сказал:

— Верно! Мы будем выступать на сцене. И ребята из четвёртого класса нам покажут постановку. Они сами сочинили. Интересная!..

Я сказал:

— А ты, Мишка, будешь выступать?

— Подрастёшь — узнаешь.

И я стал с нетерпением дожидаться концерта. Дома я всё это сообщил маме, а потом сказал:

— Я тоже хочу выступать...

Мама улыбнулась и говорит:

— А что ты умеешь делать?

Я сказал:

— Как, мама, разве ты не знаешь? Я умею громко петь. Ведь я хорошо пою? Ты не смотри, что у меня тройка по пению. Всё равно я пою здорово.

Мама открыла шкаф и откуда-то из-за платьев сказала:

— Ты споёшь в другой раз. Ведь ты болел... Ты просто будешь на этом концерте зрителем.— Она вышла из-за шкафа.— Это так приятно — быть зрителем. Сидишь, смотришь, как артисты выступают... Хорошо! А в другой раз ты будешь артистом, а те, кто уже выступал, будут зрителями. Ладно?

Я сказал:

— Ладно. Тогда я буду зрителем.

И на другой день я пошёл на концерт. Мама не могла со мной идти — она дежурила в институте,— папа как раз уехал на какой-то завод на Урал, и я пошёл на концерт один. В нашем большом зале стояли стулья и была сделана сцена, и на ней висел занавес. А внизу сидел за роялем Борис Сергеевич. И мы все уселись, а по стенкам встали бабушки нашего класса. А я пока стал грызть яблоко.

Вдруг занавес открылся, и появилась вожатая Люся. Она сказала громким голосом, как по радио:

— Начинаем наш весенний концерт! Сейчас ученик первого класса «В» Миша

Слонов прочтёт нам свои собственные стихи! Попросим!

Тут все захлопали, и на сцену вышел Мишка. Он довольно смело вышел, дошёл до середины и остановился. Он постоял так немножко и заложил руки за спину. Опять постоял. Потом выставил вперёд левую ногу. Все ребята сидели тихо-тихо и смотрели на Мишку. А он убрал левую ногу и выставил правую. Потом он вдруг стал откашливаться:

— Кхм! Кхм!.. Кхме!..

Я сказал:

— Ты что, Мишка, поперхнулся?

Он посмотрел на меня как на незнакомого. Потом поднял глаза в потолок и сказал:

— Стих.

Пройдут года, наступит старость!
Морщины вскочут на лице!
Желаю творческих успехов!
Чтоб хорошо учились и дальше все!

...Всё!

И Мишка поклонился и полез со сцены. И все ему здорово хлопали, потому что, во-первых, стихи были очень хорошие, а во-вторых, подумать только: Мишка сам их сочинил! Просто молодец!

И тут опять вышла Люся и объявила:

— Выступает Валерий Тагилов, первый класс «В»!

Все опять захлопали ещё сильнее, а Люся поставила стул на самой серёдке. И тут вышел наш Валерка со своим маленьким аккордеоном и сел на стул, а чемодан от аккордеона поставил себе под ноги, чтобы они не болтались в воздухе. Он сел и заиграл вальс «Амурские волны». И все слушали, и я тоже слушал и всё время думал: «Как это Валерка так быстро перебирает пальцами?» И я стал тоже так быстро перебирать пальцами по воздуху, но не мог поспеть за Валеркой. А сбоку, у стены, стояла Валеркина бабушка, она помаленьку дирижировала, когда Валерка играл. И он хорошо играл, громко, мне очень понравилось. Но вдруг он в одном месте сбился. У него остановились пальцы. Валерка немножко покраснел, но опять зашевелил пальцами, как будто дал им разбежаться, но пальцы добежали до какого-то места и опять остановились, ну просто как будто споткнулись. Валерка стал совсем красный и снова стал разбегаться, но теперь его пальцы бежали как-то боязливо, как будто знали, что они всё равно опять споткнутся, и я уже готов был лопнуть от злости, но в это время на том самом месте, где Валерка два раза спотыкался, его бабушка вдруг вытянула шею, вся подалась вперёд и запела:

...Серебрятся волны,
Серебрятся волны...

И Валерка сразу подхватил, и пальцы у него как будто перескочили через какую-то неудобную ступеньку и побежали дальше, дальше, быстро и ловко до самого конца. Вот уж ему хлопали так хлопали!

После этого на сцену выскочили шесть девочек из первого «А» и шесть мальчиков из первого «Б». У девочек в волосах были разноцветные ленты, а у мальчиков ничего не было. Они стали танцевать украинский гопак. Потом Борис Сергеевич сильно ударил по клавишам и кончил играть.

А мальчишки и девчонки ещё топали по сцене сами, без музыки, кто как, и это было очень весело, и я уже собирался тоже слазить к ним на сцену, но они вдруг разбежались. Вышла Люся и сказала:

— Перерыв пятнадцать минут. После перерыва учащиеся четвёртого класса покажут пьесу, которую они сочинили всем коллективом, под названием «Собаке — собачья смерть».

И все задвигали стульями и пошли кто куда, а я вытащил из кармана своё яблоко и начал его догрызать.

А наша октябрятская вожатая Люся стояла тут же, рядом.

Вдруг к ней подбежала довольно высокая рыженькая девочка и сказала:

— Люся, можешь себе представить — Егоров не явился!

Люся всплеснула руками:

— Не может быть! Что же делать? Кто ж будет звонить и стрелять?

Девочка сказала:

— Нужно немедленно найти какого-нибудь сообразительного паренька, мы его научим, что делать.

Тогда Люся стала глядеть по сторонам и заметила, что я стою и грызу яблоко. Она сразу обрадовалась.

— Вот,— сказала она.— Дениска! Чего же лучше! Он нам поможет! Дениска, иди сюда!

Я подошёл к ним поближе. Рыжая девочка посмотрела на меня и сказала:

— А он вправду сообразительный?

Люся говорит:

— По-моему, да!

А рыжая девочка говорит:

— А так, с первого взгляда, не скажешь.

Я сказал:

— Можешь успокоиться! Я сообразительный.

Тут они с Люсей засмеялись, и рыжая девочка потащила меня на сцену.

Там стоял мальчик из четвёртого класса, он был в чёрном костюме, и у него были засыпаны мелом волосы, как будто он седой; он держал в руках пистолет, а рядом с ним стоял другой мальчик, тоже из четвёртого класса. Этот мальчик был приклеен к бороде, на носу у него сидели синие очки, и он был в клеёнчатом плаще с поднятым воротником.

Тут же были ещё мальчики и девочки, кто с портфелем в руках, кто с чем, а одна девочка в косынке, халатике и с веником.

Я как увидел у мальчика в чёрном костюме пистолет, так сразу спросил его:

— Это настоящий?

Но рыжая девочка перебила меня.

— Слушай, Дениска! — сказала она.— Ты будешь нам помогать. Встань тут сбоку и смотри на сцену. Когда вот этот мальчик скажет: «Этого вы от меня не добьётесь, гражданин Гадюкин!» — ты сразу позвони в этот звонок. Понял?

И она протянула мне велосипедный звонок. Я взял его.

Девочка сказала:

— Ты позвонишь, как будто это телефон, а этот мальчик снимет трубку, поговорит по телефону и уйдёт со сцены. А ты стой и молчи. Понял?

Я сказал:

— Понял, понял... Чего тут не понять? А пистолет у него настоящий? Парабеллум или какой?

— Погоди ты со своим пистолетом... Именно, что он не настоящий! Слушай: стрелять будешь ты здесь, за сценой. Когда вот этот, с бородой, останется один, он схватит со стола папку и кинется к окну, а этот мальчик, в чёрном костюме, в него прицелится, тогда ты возьми эту дощечку и что есть силы стукни по стулу. Вот так, только гораздо сильней!

И рыженькая девочка бахнула по стулу доской. Получилось очень здорово, как настоящий выстрел. Мне понравилось.

— Здорово! — сказал я.— А потом?

— Это всё,— сказала девочка.— Если понял, повтори!

Я всё повторил. Слово в слово. Она сказала:

— Смотри же, не подведи!

— Можешь успокоиться. Я не подведу.

И тут раздался наш школьный звонок, как на уроки.

Я положил велосипедный звонок на отопление, прислонил дощечку к стулу, а сам стал смотреть в щёлочку занавеса. Я увидел, как пришли Раиса Ивановна и Люся, и как садились ребята, и как бабушки опять встали у стенок, а сзади чей-то папа взгромоздился на табуретку и начал наводить на сцену фотоаппарат. Было очень интересно отсюда смотреть туда, гораздо интересней, чем оттуда сюда. Постепенно все стали затихать, и девочка, которая меня привела, побежала на другую сторону сцены и потянула за верёвку. И занавес открылся, и эта девочка спрыгнула в зал. А на сцене стоял стол, и за ним сидел мальчик в чёрном костюме, и я знал, что в кармане у него пистолет. А напротив этого мальчика ходил мальчик с бородой.

Он сначала рассказал, что долго жил за границей, а теперь вот приехал опять, и потом стал нудным голосом приставать и просить, чтобы мальчик в чёрном костюме показал ему план аэродрома. Но тот сказал:

— Этого вы от меня не добьётесь, гражданин Гадюкин!

Тут я сразу вспомнил про звонок и протянул руку к отоплению. Но звонка там не было. Я подумал, что он упал на пол, и наклонился посмотреть. Но его не было и на полу. Я даже весь обомлел. Потом я взглянул на сцену. Там было тихо-тихо. Но потом мальчик в чёрном костюме подумал и снова сказал:

— Этого вы от меня не добьётесь, гражданин Гадюкин!

Я просто не знал, что делать. Где звонок? Он только что был здесь! Не мог же он сам ускакать, как лягушка! Может быть, он скатился за батарею? Я присел на корточки и стал шарить по пыли за батареей. Звонка не было! Нету!.. Люди добрые, что же делать?!

А на сцене бородатый мальчик стал ломать себе пальцы и кричать:

— Я вас пятый раз умоляю! Покажите план аэродрома!

А мальчик в чёрном костюме повернулся ко мне лицом и закричал страшным голосом:

— Этого вы от меня не добьётесь, гражданин Гадюкин!

И погрозил мне кулаком. И бородатый тоже погрозил мне кулаком. Они оба мне грозили!

Я подумал, что они меня убьют. Но ведь не было звонка! Звонка-то не было! Он же потерялся!

Тогда мальчик в чёрном костюме схватился за волосы и сказал, глядя на меня с умоляющим выражением лица:

— Сейчас, наверно, позвонит телефон! Вот увидите, сейчас позвонит телефон! Сейчас позвонит!

И тут меня осенило. Я высунул голову на сцену и быстро сказал:

— Динь-динь-динь!

И все в зале страшно рассмеялись. Но мальчик в чёрном костюме очень обрадовался и сразу схватился за трубку. Он весело сказал:

— Слушаю вас! — и вытер пот со лба.

А дальше всё пошло как по маслу. Мальчик в чёрном встал и сказал бородатому:

— Меня вызывают. Я приеду через несколько минут.

И ушёл со сцены. И встал на другой стороне. И тут мальчик с бородой пошёл на цыпочках к его столу и стал там рыться и всё время оглядывался. Потом он злорадно рассмеялся, схватил какую-то папку и побежал к задней стене, на которой было наклеено картонное окно. Тут выбежал другой мальчик и стал в него целиться из пистолета. Я сразу схватил доску да как трахну по стулу изо всех сил.

А на стуле сидела какая-то неизвестная кошка. Она закричала диким голосом, потому что я попал ей по хвосту. Выстрела не получилось, зато кошка поскакала на сцену. А мальчик в чёрном костюме бросился на бородатого и стал душить. Кошка носилась между ними. Пока мальчики боролись, у бородатого отвалилась борода. Кошка решила, что это мышь, схватила её и убежала. А мальчик, как только увидел, что он остался без бороды, так сразу лёг на пол — как будто умер. Тут на сцену прибежали остальные ребята из четвёртого класса, кто с портфелем, кто с веником, они все стали спрашивать:

— Кто стрелял? Что за выстрелы?

А никто не стрелял. Просто кошка подвернулась и всему помешала. Но мальчик в чёрном костюме сказал:

— Это я убил шпиона Гадюкина!

И тут рыженькая девочка закрыла занавес. И все, кто был в зале, хлопали так сильно, что у меня заболела голова. Я быстренько спустился в раздевалку, оделся и побежал домой. А когда я бежал, мне всё время что-то мешало. Я остановился, полез в карман и вынул оттуда... велосипедный звонок!

ЮРИЙ КОВАЛЬ

НЮРКА

Нюрке дядизуевой было шесть лет.

Долго ей было шесть лет. Целый год.

А как раз в августе стало Нюрке семь лет.

На Нюркин день рождения дядя Зуй напёк калиток — это такие ватрушки с пшённой кашей — и гостей позвал. Меня тоже. Я стал собираться в гости и никак не мог придумать, что Нюрке подарить.

— Купи конфет килограмма два,— говорит Пантелевна.— Подушечек.

— Ну нет, тут надо чего-нибудь посерьёзнее.

Стал я перебирать свои вещи. Встряхнул рюкзак — чувствуется в рюкзаке что-то тяжёлое, ёлки-палки, да это же бинокль! Хороший бинокль. Всё в нём цело, и стёкла есть, и окуляры крутятся.

Протёр я бинокль сухой тряпочкой, вышел на крыльцо и навёл его на дядизуев двор. Хорошо всё видно: Нюрка по огороду бегает, укроп собирает, дядя Зуй самовар ставит.

— Нюрка,— кричит дядя Зуй,— хрену-то накопала?

Это уже не через бинокль, это мне так слышно.

— Накопала,— отвечает Нюрка.

Повесил я бинокль на грудь, зашёл в магазин, купил два кило подушечек и пошёл к Нюрке.

Самый разный народ собрался. Например, Федюша Миронов пришёл в хромовых сапогах и с мамашей Миронихой. Принёс Нюрке пенал из берёсты. Этот пенал дед Мироша сплёл.

Пришла Маня Клеткина в возрасте пяти лет. Принесла Нюрке фартук белый, школьный. На фартуке вышито в уголке маленькими буковками: «Нюри».

Пришли ещё ребята и взрослые, и все дарили Нюрке что-нибудь школьное: букварь, линейку, два химических карандаша, самописку.

Тётка Ксеня принесла специальное коричневое первоклассное школьное платье. Сама шила. А дядя Зуй подарил Нюрке портфель из жёлтого кожзаменителя.

Братья Моховы принесли два ведра черники.

— Целый день,— говорят,— сбирали. Комары жгутся.

Мирониха говорит:

— Это нешкольное.

— Почему же нешкольное? — говорят братья Моховы.— Очень даже школьное.

И тут же сами поднавалились на чернику.

Я говорю Нюрке:

— Ну вот, Нюра, поздравляю тебя. Тебе теперь уже семь лет. Поэтому дарю тебе два кило подушечек и вот — бинокль.

Нюрка очень обрадовалась и засмеялась, когда увидела бинокль. Я ей объяснил, как в бинокль глядеть и как на что наводить. Тут же все ребята отбежали шагов на десять и стали на нас в этот бинокль по очереди глядеть.

А Мирониха говорит, как будто бинокль первый раз видит:

— Это нешкольное.

— Почему же нешкольное,— обиделся я,— раз в него будет школьница смотреть?

А дядя Зуй говорит:

— Или с учителем Алексей Степанычем залезут они на крышу и станут на звёзды глядеть.

Тут все пошли в дом и как за стол сели, так и навалились на калитки и на огурцы. Сильный хруст от огурцов стоял, и особенно старалась мамаша Мирониха. А мне понравились калитки, сложенные конвертиками.

Нюрка была весёлая. Она положила букварь, бинокль и прочие подарки в портфель и носилась с ним вокруг стола.

Напившись чаю, ребята пошли во двор в лапту играть.

А мы сели у окна, и долго пили чай, и глядели в окно, как играют ребята в лапту, как медленно приходит вечер и как летают над сараями и над дорогой ласточки-касатки.

Потом гости стали расходиться.

— Ну, спасибо,— говорили они.— Спасибо вам за огурцы и за калитки.

— Вам спасибо,— отвечала Нюрка,— за платье спасибо, за фартук и за бинокль.

Прошла неделя после этого дня, и наступило первое сентября.

Рано утром я вышел на крыльцо и увидел Нюрку.

Она шла по дороге в школьном платье, в белом фартуке с надписью «Нюри». В руках она держала большой букет осенних золотых шаров, а на шее у неё висел бинокль.

Шагах в десяти за нею шёл дядя Зуй и кричал:

— Смотри-ка, Пантелевна, Нюрка-то моя в школу пошла!

— Ну-ну-ну...— кивала Пантелевна.— Какая молодец!

И все выглядывали и выходили на улицу посмотреть на Нюрку, потому что в этот год она была единственная у нас первоклассница.

Около школы встретил Нюрку учитель Алексей Степаныч. Он взял у неё цветы и сказал:

— Ну вот, Нюра, ты теперь первоклассница. Поздравляю тебя. А что бинокль принесла,

так это тоже молодец. Мы потом залезем на крышу и будем на звёзды смотреть.

Дядя Зуй, Пантелевна, тётка Ксеня, Мирониха и ещё много народу стояли у школы и глядели, как идёт Нюрка по ступенькам крыльца. Потом дверь за ней закрылась.

Так и стала Нюрка первоклассницей. Ещё бы, ведь ей семь лет. И долго ещё будет. Целый год.

НУЛЕВОЙ КЛАСС

Приехала к нам в деревню новая учительница. Марья Семёновна.

А у нас и старый учитель был — Алексей Степанович.

Вот новая учительница стала со старым дружить. Ходят вместе по деревне, со всеми здороваются.

Дружили так с неделю, а потом рассорились. Все ученики к Алексей Степанычу бегут, а Марья Семёновна стоит в сторонке. К ней никто и не бежит — обидно.

Алексей Степанович говорит:

— Бегите-ко до Марьи Семёновны.

А ученики не бегут, жмутся к старому учителю. И действительно, серьёзно так жмутся, прямо к бокам его прижимаются.

— Мы её пугаемся,— братья Моховы говорят.— Она бруснику моет.

Марья Семёновна говорит:

— Ягоды надо мыть, чтоб заразу смыть.

От этих слов ученики ещё сильней к Алексей Степанычу жмутся.

Алексей Степанович говорит:

— Что поделаешь, Марья Семёновна, придётся мне ребят дальше учить, а вы заводите себе нулевой класс.

— Как это так?

— А так. Нюра у нас в первом классе, Федюша во втором, братья Моховы в третьем, а в четвёртом, как известно, никого нет. Но зато в нулевом классе ученики будут.

— И много? — обрадовалась Марья Семёновна.

— Много не много, но один — вон он, на дороге в луже стоит.

А прямо посреди деревни, на дороге и вправду стоял в луже один человек. Это был Ванечка Калачёв. Он месил глину резиновыми сапогами, воду запруживал. Ему не хотелось, чтоб вся вода из лужи вытекла.

— Да он же совсем маленький,— Марья Семёновна говорит,— он же ещё глину месит.

— Ну и пускай месит,— Алексей Степанович отвечает.— А вы каких же учеников в нулевой класс желаете? Трактористов, что ли? Они ведь тоже глину месят.

Тут Марья Семёновна подходит к Ванечке и говорит:

— Приходи, Ваня, в школу, в нулевой класс.

— Сегодня некогда,— Ванечка говорит,— запруду надо делать.

— Завтра приходи, утром пораньше.

— Вот не знаю,— Ваня говорит,— как бы утром запруду не прорвало.

— Да не прорвёт,— Алексей Степанович говорит и своим сапогом запруду подправляет.— А ты поучись немного в нулевом классе, а уж на другой год я тебя в первый класс приму. Марья Семёновна буквы тебе покажет.

— Какие буквы? Прописные или печатные?

— Печатные.

— Ну, это хорошо. Я люблю печатные, потому что они понятные.

На другой день Марья Семёновна пришла в школу пораньше, разложила на столе печатные буквы, карандаши, бумагу. Ждала, ждала, а Ванечки нет. Тут она почувствовала, что запруду всё-таки прорвало, и пошла на дорогу. Ванечка стоял в луже и сапогом запруду делал.

— Телега проехала,— объяснил он.— Приходится починять.

— Ладно,— сказала Марья Семёновна,— давай вместе запруду делать, а заодно и буквы учить.

И тут она своим сапогом нарисовала на глине букву «А» и говорит:

— Это, Ваня, буква «А». Рисуй теперь такую же.

Ване понравилось сапогом рисовать. Он вывел носочком букву «А» и прочитал:

— А.

Марья Семёновна засмеялась и говорит:

— Повторение — мать учения. Рисуй вторую букву «А».

И Ваня стал рисовать букву за буквой и до того зарисовался, что запруду снова прорвало.

— Я букву «А» рисовать дольше не буду,— сказал Ваня,— потому что плотину прорывает.

— Давай тогда другую букву,— Марья Семёновна говорит.— Вот буква «Б».

И она стала рисовать букву «Б».

А тут председатель колхоза на газике выехал. Он погудел газиком, Марья Семёновна с Ваней расступились, и председатель не только запруду прорвал своими колёсами, но и все буквы стёр с глины. Не знал он, конечно, что здесь происходит занятие нулевого класса.

Вода хлынула из лужи, потекла по дороге, всё вниз и вниз в другую лужу, а потом в овраг, из оврага в ручей, из ручья в речку, а уж из речки в далёкое море.

— Эту неудачу трудно ликвидировать,— сказала Марья Семёновна,— но можно. У нас остался последний шанс — буква «В». Смотри, как она рисуется.

И Марья Семёновна стала собирать разбросанную глину, укладывать её барьерчиком. И не только сапогами, но даже и руками сложила всё-таки на дороге букву «В». Красивая получилась буква, вроде крепости. Но, к сожалению, через сложенную ею букву хлестала и хлестала вода. Сильные дожди прошли у нас в сентябре.

— Я, Марья Семёновна, вот что теперь скажу,— заметил Ваня,— к вашей букве «В» надо бы добавить что-нибудь покрепче. И повыше. Предлагаю букву «Г», которую давно знаю.

Марья Семёновна обрадовалась, что Ваня такой образованный, и они вместе слепили не очень даже кривую букву «Г». Вы не поверите, но эти две буквы «В» и «Г» воду из лужи вполне задержали.

На другое утро мы снова увидели на дороге Ванечку и Марью Семёновну.

— Жэ! Зэ! — кричали они и месили сапогами глину.— Ка! Эль! И краткое!

Новая и невиданная книга лежала у них под ногами, и все наши жители осторожно обходили её, стороной объезжали на телеге, чтоб не помешать занятиям нулевого класса. Даже председатель проехал на своём газике так аккуратно, что не задел ни одной буквы.

Тёплые дни скоро кончились. Задул северный ветер, лужи на дорогах замёрзли.

Однажды под вечер я заметил Ванечку и Марью Семёновну. Они сидели на брёвнышке на берегу реки и громко считали:

— Пять, шесть, семь, восемь...

Кажется, они считали улетающих на юг журавлей.

А журавли и вправду улетали, и темнело небо, накрывающее нулевой класс, в котором все мы, друзья, наверно, ещё учимся.

ВАЛЕРИЙ МЕДВЕДЕВ

ПЛЮС ВОСЬМОЕ МАРТА

Новенького звали Лёня, фамилия у него была Цветков. Он появился в третьем «Б» в самом начале декабря.

С каждым днём посещения класса мальчишки относились к нему всё хуже и хуже, в то время как девчонки всё больше и больше обращали на него внимание.

Почти все мальчишки в классе считали, что этот самый Цветков ведёт себя по отношению к девчонкам недостойным для мужчины образом. Уже через неделю все они за глаза называли Цветкова девчачьим угодником. Цветков всем девчонкам говорил «вы». Никого из них не называл Веркой, Катькой или Лизкой, а если обращался, то говорил: Вера, Катя, Лиза. Он не дёргал девочек за волосы и не делал им подножки на переменах. Если какая из них роняла на пол учебники или тетрадку, он поднимал. Если на перемене к нему подходила девочка, а он сидел за партой, то обязательно вскакивал и вёл разговор стоя. В дверях он сначала пропускал девочку, затем уже проходил сам. В раздевалке обязательно подавал ей пальто.

Сначала решили, что новенький приехал из Ленинграда. Коля Беляев сказал, что все ленинградцы отличаются особенной вежливостью. Но на поверку оказалось, что Цветков Лёня приехал в Москву не из Ленинграда, а из Уфы.

А потом Филимонов Женя высказал догадку, что этот новенький выслуживается и хочет стать старостой класса. Но и этот слух тоже не подтвердился. Когда классная руководительница Зоя Ефимовна предложила ему этот пост, он от него вежливо отказался.

Затем Петя Ваганов предположил, что Лёня Цветков хочет произвести впечатление на самую красивую девочку из третьего «Б» Лену Королькову. Но и это оказалось неверно: Лёня Цветков к Лене Корольковой относился, как ко всем девочкам в классе.

Конечно, в третьем «Б» и без Цветкова были вежливые ребята. Один из них тоже мог поднять книгу, выпавшую из рук девочки. Другой — мог пропустить её впереди себя в дверях. Третий мог уступить место в трамвае. Четвёртый мог подать пальто. Пятый мог первым поздороваться. Шестой мог за целый день произнести раза три «спасибо». Но чтобы всё это делал один человек, ежедневно и без перерыва,— такого в третьем «Б» ещё не было.

При этом лицо Цветкова ещё светилось какой-то радостью, словно он от этого всего испытывал наслаждение и удовольствие. Вот Коля Бузыкин, например, всегда злился, когда ему приходилось совершить что-нибудь вежливое. Если в трамвай входила старушка и останавливалась возле места, на котором он сидел,— это было просто каким-то несчастьем. Как будто не могла стать возле кого другого! Как будто не могла остановиться вон возле того мальчишки. Тоже ведь сидит, как и он...

Но разговор у нас не о Бузыкине, разговор о Цветкове.

Итак, во всём поведении Леонида Цветкова было что-то загадочное, и даже таинственное, и даже сверхъестественное. И класс — не весь, конечно, класс, а его мужская половина — потерял и покой, и равновесие и решил эту загадку разгадать.

— Надо проверить,— сказал всё тот же Коля Бузыкин,— как этот Цветков ведёт себя дома... Нет ли тут, как говорит мой папа, каких-нибудь ножниц. А то ведь вы знаете, я в школе тоже считаюсь вежливым человеком. Но дома...

Действительно, в школе Бузыкин был на хорошем счету и даже слыл тихоней.

Зато дома он только и делал, что ходил на голове и творил бог знает что.

— Вот ты и возьмись за это дело,— сказал Женя Филимонов Бузыкину.— Войди к нему в доверие и напросись в гости...

Коля Бузыкин так и поступил: он сначала вошёл в доверие к Лёне Цветкову, что сделать было нетрудно. А затем и напросился к нему в гости под никому не известным, но как он сказал сам, благовидным предлогом. Ведь дело не терпело отлагательств. Тем более что и классная руководительница Зоя Ефимовна и староста класса Нэлли Щипахина всем ребятам уши прожужжали своими «Ах, какой воспитанный мальчик этот Лёня Цветков! Вот с кого нужно всем брать пример! Даже Мише Травину!»

Вообще-то до появления Цветкова Миша считался самым вежливым мальчиком в классе. Но у него всё зависело от настроения. Если Травин встанет не с той ноги, то от его вежливости и следа не оставалось. Поэтому, хоть он и считался одним из самых вежливых, но в пример его особенно не ставили.

Итак, Бузыкина напутствовали словами:

— Рассекретить этого Цветкова и привести к общему знаменателю! И чтобы не выделялся!

— Будет сделано! — сказал Бузыкин.

И после уроков направился в гости к Лёне...

* * *

На другой день на первой же перемене мужская половина третьего «Б» окружила Бузыкина тесным кольцом в углу коридора.

— Рассказывай! — потребовали ребята почти в один голос.

— Рассказывай! — передразнил их Бузыкин.— И за большую перемену всего не расскажешь. Чур — после уроков на пустыре...

За школой на пустыре, как и было договорено, после уроков собралась гвардия третьего «Б» в полном составе. За исключением, конечно, Лёни Цветкова.

Бузыкин, и сегодня ещё переутомлённый вчерашним поручением, тяжело вздохнул и начал рассказывать. Сначала про квартиру. Что, мол, когда он вошёл в квартиру Лёни Цветкова, он сразу и не понял, куда это вошёл. Квартира напоминала спортивный зал, в который втиснули библиотеку. Или наоборот: квартира напоминала библиотеку, в которую втиснули спортивный зал!

— Конечно,— перебил Бузыкина Игорь Макеев,— если железного здоровья не будет, разве можно стать таким, как Цветков! То уступи место, то подними, то встань, то принеси, то подвинься... И так целый день!.. И пищей особой, наверно, надо питаться?

— И без книг, без полного собрания всех сочинений тоже таким, как он, не станешь,— вторил ему Петя Кириллов.

— Но главное, у него оказалось дома целых четыре сестры! — продолжал Бузыкин.

— Теперь вам понятно, на ком он тренируется с утра до вечера? — спросил Вадим Вагин.

— Ну да! Тренируется! — возразил Костя Макаров.— С сёстрами-то он дома, наверно, дерётся с утра до вечера! Я, например, со своими дерусь очень даже часто! Бузыкин, дрался Цветков с сёстрами?

— Как же! — ответил Коля.— Он с ними так же, как с нашими девчонками обращается… Главное-то, день обычный, а Лёнькины сёстры одеты жутко нарядно и причёсаны… Ну, прямо как будто у них день рождения или они собирались в театр! Это я сначала так подумал…

— Так, может, у них и был день рождения?

Или они собирались в театр? — спросил Ваня Кармазин.

— Да не было у них ничего, и никуда они не собирались. У них и мама была одета хорошо, и отец в костюме и в галстуке ходил до моего ухода,— продолжал удивляться Бузыкин.

— У моей мамы тоже много красивых платьев и халатов. А дома она всегда носит самые некрасивые платья, а халат надевает самый старый,— признался вдруг Володя Кукушкин.

— А чего же они делали дома-то? — спросил Игорь Макеев.

— Что делали? Разговаривали все вместе. Кроссворды разгадывали тоже все вместе. Книгу вместе читали. Телевизор тоже вместе смотрели...

— Значит, вместе дружная семья? — сказал Женя Филимонов. И тут же ответил сам себе: — Подумаешь, какая невидаль! Мы тоже всей семьёй в спортивных состязаниях участвуем. Нас даже по телеку показывали, на стадионе мы — дружная семья. А дома то папа с мамой спорит, то мама с папой воюет, а то я как начну шуметь! Я ведь грубияном расту! — похвастался он.

Итак, из слов Бузыкина выяснилось, что Лёня Цветков и дома ведёт себя, как в школе. И к родным сёстрам относится, как к одноклассницам. Вернее наоборот — к девчонкам в классе он относится так же, как к родным сёстрам...

— Подозрительного за всё время ничего не заметил? — спросил Вагин.

— Подозрительное я сразу заметил,— сказал Бузыкин.— Как вошёл, чистота в комнате и пирогами пахнет... И вообще, праздника никакого нет, а у этих, у Цветковых, как будто бы какой праздник!

— Это надо же,— удивился Вадим Вагин.

Бузыкин потёр ладонями пылающие щёки и продолжал:

— Я всё время видел, что эти Цветковы как будто какой-то праздник празднуют. Я даже на календарь настенный посмотрел. Но там никакого праздника не было. День как день, такой же, как все...

Наступило напряжённое молчание. Все ждали самого главного, когда Бузыкин, наконец, раскроет обнаруженную им тайну или секрет.

— Всё,— неожиданно сказал Коля Бузыкин.

— Как всё?! — разочарованно вскрикнули мальчишки третьего «Б».

Коля Бузыкин был мальчик справедливый и действительно рассказал ребятам всё как есть и как было. А мог ведь и приврать и наговорить на взрослых Цветковых или на самого Лёню.

Бузыкин только не стал рассказывать о том, что он звонил своей маме раза два и просил разрешения ещё побыть у Цветковых: так ему у них понравилось. Он молчал, покраснев, потому что ему вообще-то вдруг стало стыдно за своё шпионство...

— Ну, здорово ты разгадал секрет, Бузыкин,— насмешливо произнёс Глеб Емельякин.

— А никакого секрета и нет, поэтому и не разгадал,— огрызнулся Коля.

— Как это нет? А что же есть? — не успокаивался Емельякин.

— Не знаю... Я маме рассказал обо всём. Она сказала: обыкновенная! Нормальная! Здоровая! Семья! И говорит, расследовать вам нечего! А у кого в семье не так, те ненормальные и нездоровые!

— Да просто ты не сумел их секрета разгадать! — налетел на него снова Емельякин.

— Может, ты сумеешь, сам и разгадывай,— отговорился Бузыкин.

— И разгадаю!

— Ну и разгадывай!

Вообще-то Глеб Емельякин был наблюдательным мальчиком. И как сказал учитель рисования, где другие только что-нибудь видят, Емельякин обязательно что-нибудь заметит. Единственно, что он замечал плохо, так это, как он сам себя ведёт. А вёл он себя в школе и дома как попало.

Но наш рассказ не о понятном для всех Емельякине. Рассказ идёт о загадочном Лёне Цветкове.

Итак, посмеявшись вдоволь, Глеб сказал:

— Завтра приходите в школу пораньше — будет мне что рассказать.— Сказал и самоуверенно добавил: — Чао!

«Чао» по-итальянски значит «до свиданья!» Глеб попрощался с ребятами по-итальянски, потому что был полиглотом. (Полиглот — это человек, который знает удивительно много языков!) Емельякин, хотя учился только в третьем классе, знал языков двадцать. Правда, из каждого по одному слову: из итальянского он, значит, знал «чао!». Из французского — «бонжур!» — добрый день. Из английского — «хау ду ю ду!» — здравствуйте. Из казахского — «балмаиды!» — воспрещается. Из немецкого — «цурюк!» — назад. Из китайского — «хо!» — хорошо. Ну и так далее и тому подобное.

* * *

Весь вечер Емельякин провёл в гостях у Лёни Цветкова. А на следующее утро Глеб, или, как его звали близкие друзья, Емеля, пришёл в класс чуть ли не раньше всех с видом победителя. Вадим Вагин, который пришёл ещё чуть раньше, налетел на него со словами: «Ну что, Емеля? Разузнал? Рассказывай!»

— Придут все, тогда и расскажу, а то потом повторяй сто раз! — ответил ему Глеб свысока.

— Ну намекни хоть,— умоляющим голосом попросил Вадим,— разгадал или нет?

— Емеля, да не разгадает? Всё прошло, как говорят китайцы, хо! То есть хорошо!

Сделав такое заявление, да ещё на китайском языке, Глеб с видом человека, совершившего невероятное открытие, стал ходить по классу, поджидая ребят.

До первого урока оставалось всё меньше и меньше времени.

Наконец в класс вбежал Филимонов. Заметив сияющего Емельякина, он подошёл к нему и тихо спросил:

— Разгадал?!

— Разгадал! — ответил Глеб и хлопнул рукой по портфелю.

Мальчишки появлялись один за другим и все налетали на Глеба с одним и тем же вопросом. Емельякин всем подмигивал, продолжая хлопать ладонью по портфелю, кивал головой, но портфеля не открывал. И секрета не открывал тоже. Ему нравилось поддерживать загадочное настроение, и он поддерживал его до большой перемены.

А на большой перемене он первым выбежал из класса.

Пробежав по коридору, выскочил во двор. Все мальчишки третьего «Б» дружно устремились за ним. Всем не терпелось поскорее узнать разгаданный секрет.

— Ну я вам скажу, ребята, мне пришлось и попотеть,— начал он издалека.— Сначала вижу всё, что Бузыкин видел. Ничего нового. Всё то же самое... Хожу, во все углы незаметно заглядываю. Боковое зрение пускаю в ход. Усиливаю свою наблюдательность. Вопросы задаю. Ответы получаю, а ничего нового не вижу. Только то, о чём нам Бузыкин рассказывал. Ну, думаю, зря хвастался.

— Короче, Емеля! — загалдели третьеклассники.— Перемена не резиновая!

— Короче так короче,— согласился Глеб.— Уже собирался уходить, вдруг одна из сестёр срывает листик настенного календаря. Обращаю внимание на календарь. Календарь как календарь. Дома у нас висит такой же. Смотрю! Разглядываю! Вглядываюсь!.. Вчера было двадцать шестое декабря. Что такое? У Цветковых на календаре рядом с цифрой «двадцать шесть» от руки нарисован красным цветом плюс и цифра восемь и ещё буква М.

Емельякин оглядел ребят. Те ничего не понимали и не догадывались.

— Осматриваю календарь дальше. И к двадцать седьмому декабря тоже — плюс восемь М, и к двадцать девятому, и к тридцатому! Хожу. Думаю. Размышляю. Вижу. На столе у Лёниного отца лежит календарь на будущий год... Я в него, конечно, тоже заглянул. В нём тоже все листки уже с плюсом! И на всех восемь! И на всех М!

С этими словами Глеб открыл портфель и извлёк из него маленький листочек бумаги. Он оказался листком обычного отрывного календаря. Глеб положил его на портфель и разгладил ладошкой.

— Вот в чём секрет! — снова шёпотом повторил Глеб.

Все с интересом разглядывали листок.

— Обыкновенный календарь,— тихо прошептал кто-то.

— Двадцать шестое декабря,— прочёл Женя Филимонов.

— Двадцать шестое декабря,— повторил Глеб слова Жени.— А что рядом?

Теперь все действительно своими глазами увидели то, о чём говорил Глеб. На календаре действительно была напечатана типографским способом цифра двадцать шесть и от руки красными чернилами было написано — «плюс восемь М».

— И что всё это значит? — спросил Юра Пузырёв.

+8 м.
27
+8м
+8м
+8м
26
+8м
25
+8м
+8 м.
+8 м.
ТЕЛЕФ

— «Плюс восемь М» — это оказывается, значит... Лёнькина сестра мне открыла, что это значит — «плюс Восьмое марта!» Соображаете? То есть у этих Цветковых к любому числу календаря прибавляется Международный женский день! Получается, что в семье Цветковых каждый день Восьмое марта! Соображаете?

Мужская половина третьего «Б» стала молча соображать.

— Значит, это что же получается? — спросил Юра Пузырёв.

— Значит, это получается, что в семье у Цветковых круглый год Международный женский день. Вот почему они все так друг к другу относятся,— сказал Коля Бузыкин.— И вот почему Цветков всё время такой вежливый. А я-то! Эх! — Коля стукнул ладонью себя по лбу: — Такую цифру проглядел!

— Глаза надо иметь! — сказал снисходительно Емельякин.— И соображать!

— Ну, ребята, что теперь будет,— сказал Никита Славуцкий и пояснил: — Теперь нам в пример будут ставить не только Цветкова, но и его календарь с плюсом.

Все представили себе это и ужаснулись.

— Это уж точно,— начал Коля Беляев,— если девчонки узнают...

— Точно,— перебил Беляева Филимонов.— Теперь самое главное, чтоб об этом девчонки не узнали!

Все окружили Емельякина, как хоккеисты вратаря перед игрой, и троекратно поклялись: «Чтоб девчонки не узнали! Чтоб девчонки не узнали! Чтоб девчонки не узнали!»

С этим вернулись в класс.

Но не помогла клятва. Как не помогает она иногда выиграть матч хоккеистам. Узнали девчонки про календарь.

Наверно, это Коля Беляев сболтнул обо всём сестре, а та уж своей лучшей подруге Тамаре Желтковой. К концу четвёртого урока все девчонки третьего «Б» были в курсе дела.

После уроков Лёня Цветков обнаружил в карманах своей курточки в раздевалке шестнадцать записок, правда, без подписи. Все шестнадцать не похожих друг на друга почерков, предлагали Лёне дружить. И хотя Цветков ни на одну записку не ответил, никто из девочек на него не обиделся. Потому что он и так дружил со всеми!

* * *

На этом рассказ можно было бы и окончить, но оказалось, что у него есть продолжение. Через несколько дней календари с плюсами появились дома у многих мальчишек. Даже у Глеба Емельякина, который о календаре сказал когда-то так:

— С ума сойти! Я бы не смог триста шестьдесят четыре раза написать «плюс Восьмое марта!»...

А однажды и в классе на стене вдруг появился такой календарь. Даже неизвестно, кто повесил...

Но и с календарями не все вели себя с плюсом. Многие мальчишки третьего «Б» изменились, но, честно говоря, далеко не все.

Девчонки очень расстраивались от этого. А Люба Донцова даже в уголочке коридора однажды чуть-чуть всплакнула от расстройства. Тогда Женя Лелявина погладила её по плечу и тихо сказала:

— Ну, не расстраивайся! Вот я думаю, что календарь с плюсом — это ведь как лекарство. А некоторые лекарства действуют очень медленно. Но всё равно действуют. И подействуют. Вот увидишь...

А Люба слушала её, слушала и вдруг стала улыбаться сквозь слёзы. И улыбка у неё была тёплая-тёплая, ну прямо как грибной дождик, что идёт, как известно, при свете яркого солнца...

ФОСФОРИЧЕСКИЙ МАЛЬЧИК

Солнце лежало на полу большими квадратами. В каждый квадрат упирался как бы слоновой ногой широкий луч. Громадный солнечный слон стоял между классной доской и партами и весь сверкал мерцающими, летающими, плавающими пылинками. Что-то тропическое было в классе ещё и от теней старого плюща в углу.

— Так вот,— сказал капитан Соври-голова, сокращённо капитан Сого, он же Дима Колчанов,— в африканской пустыне эти самые арараты...

— Какие арараты? — поправил очки химик Шура Гусев, любивший точность.— Какие ещё арараты? Арарат — это гора на Кавказе. Вечнозаснеженная гора с вечнозелёной растительностью.

— Ха! — сказал Дима Колчанов.— Гора! Крестьян так африканских — арараты!

— Их зовут ораторы, кажется,— робко вставила застенчивая Наташа Рыбкина,— или, как их, оратории... то есть нет...

— Арабы...— зевнул Костя Стрельников, которого никто ничем не мог удивить, даже сам капитан Сого.

— Арабы — это вообще... это нация...— сказал Дима Колчанов,— а арараты — это крестьяне... они копают землю кайлой и едят сушёных кузнечиков.

— От сушёных кузнечиков араратом

не станешь,— возразил Шура Гусев.— А-а, вспомнил! Их зовут аратами!

— Какая разница? — сказал Дима, разглядывая прищуренными глазами солнечного слона, слегка переместившегося к дверям.— Араты или арараты? Важно, что они едят! Так вот, я насушил кузнечиков и...

Но никто так и не успел узнать, что сделал Дима Колчанов с сушёными кузнечиками. В пятый «А» влетела Света Брунова с криком ужаса:

— Ребята! Этот новенький, который Сорокин, обыграл всех в шахматы! Весь наш пятый «Б»! Он обыграл ещё и весь свой пятый «В»!

Даже солнечный слон от такого известия вздрогнул — золотые пылинки так и запрыгали в нём. Дима Колчанов спросил с ехидцей:

— В поддавки, что ли, играли?

— Ты что? — вскричала Света.— Шутишь?! А он сюда, между прочим, движется! С шахматной доской, между прочим! И с сопровождающими лицами!

В классе стало тихо. Голос Светы звенел уже в коридоре. Новость о потрясающих победах новенького неслась по школе со скоростью Светы.

— Так вот,— сказал Дима Колчанов, поудобнее устраивая ноги под партой и возвращаясь к африканской теме,— когда мне было четыре года и мы жили в одном из глухих районов Конго...

— Ну, даёшь! — зевнул снова Костя Стрельников.— Так я и поверил!

— Кто не верит, может выйти,— сказал Дима,— я не держу... Значит, в Конго...

Раздался грохот, как будто кто-то ударил в боевой африканский барабан. Саня Петушков, староста пятого «В», гремя шахматами в коробке, появился в дверях. За ним встал некий мальчик, худенький и строгий, и с любопытством исследователя посмотрел, как всем показалось, на капитана Соври-голову.

— Вызываем! — сказал Саня Петушков, ликуя.— Бросаем, то есть, вызов!

— Куда? — спросил Дима.

— Чего — куда? — удивился Саня Петушков. В коробке над его головой шахматы тихонько рычали, перекатываясь из угла в угол.

— Куда бросаете? — холодно спросил Дима.

— Как — куда? Вам бросаем! Вызов!

— Пробросаетесь...— сказал Дима.— И вообще мы заняты! Прошу закрыть дверь! Так вот, в этом Конго...

— Струсили! — сказал Саня Петушков, оглядываясь на всепобеждающего Сорокина.

Шура Гусев возмутился:

— Да он, этот твой новенький, знает, кому вы тут... вызов бросили? В прошлом году кто у нас чемпионом был? Дмитрий Николаевич Колчанов был чемпионом!

— А теперь будет Семён Иванович Сорокин! — сказал Петушков.

8
A
B
C

— Ай пешка, знать она сильна, коль лает на слона! — засмеялся весёлый и находчивый Туркин, поднимаясь во весь свой высокий рост.

Он посмотрел на Сорокина сверху вниз и сказал, как Суворов о Наполеоне:

— Далеко шагает, пора и унять молодца!

— И уйму! — сказал Дима, тоже поднимаясь из-за парты.— Я его прямо сейчас уйму! Для начала я дам ему фору! И в придачу королевский гамбит! А потом фишками закидаю!

В класс уже стекались все, кого победил и ещё не победил Сорокин.

— Правильно, капитан! — кричал пятый «А».— Дай этому Сорокину гамбитом по организму!

— Сорокин! Не трусь! — кричал пятый «В».— За одного гамбитого двух негамбитых дают!

— Зачем по организму? — сказал Дима. Он вырвал шахматную доску из рук Сани Петушкова и потряс ею сам.— Я его по самому слабому месту! Я его по мозгам!

— Начнём,—спокойно сказал Сорокин. Весёлый Туркин пропел:

— Начнё-ом, пожа-алуй!

Сорокин, видно, не хотел терять ни минуты, потому он тут же достал из портфеля книжку Симагина «Атака на короля» и разложил на подоконнике доску.

— Заглядывать в книжку будем? — спросил Дима. Сорокин молча расставлял фигуры.

Дима Колчанов долго и задумчиво смотрел на него. Сорокин, ероша жиденькие волосы, просмотрел несколько этюдов на разных страницах.

— Хорошо...— проговорил Дима, вздохнул и отправился... в буфет.

Солнце зашло за тучку, солнечный слон исчез, тропические тени погасли.

— Ну вот...— вздохнула Наташа Рыбкина, грустно глядя вслед капитану: ей очень было жаль, что так она ничего и не узнала о Конго.

Шура Гусев догнал Диму Колчанова уже в буфете.

— Ты что? — спросил он его.— Раздумал? Дима купил три бутерброда со шпротами.

— Ты почему сейчас занимаешься тем, что ничем не занимаешься? — горячо прошептал Шура в ухо Диме.

— Как это ничем? — проглотив кусок бутерброда, сказал Дима.— Как это ничем?! Я заправляю фосфором свои мысли!

— А почему ты не готовишь их к бою? — спросил прямодушный Коля Николюкин.

— Потому, что самое главное в мысли — фосфор! Школьный календарь читать надо! — сказал Дима, доставая из кармана листок.— Вот — «Фосфор — элемент жизни и мысли»,— прочитал он вслух название заметки.— Элемент мысли! Улавливаете? Своей, а не вычитанной у Симагина!

Все вопросительно посмотрели на химика Шуру. Шура подумал и сказал:

— Вообще-то фосфор — сила! Это точно!

— Значит, чем больше его ешь, тем больше готовишься? — спросил Николюкин.

— Точно! Без фосфора — никуда!

— Факт! — согласился простодушный Николюкин.— Ведь у нас в голове тоже есть фосфор!

— Фосфор — он тоже разный бывает! — сказал тогда Дима.— Первого сорта.— Он погладил себя по голове.— И третьего.— И он погладил по голове Николюкина.

Сорокин вместе со своей доской переместился в свой класс и там теперь листал книжку Симагина «Атака на короля».

А Дима Колчанов всю вторую перемену жевал бутерброды, и третью, а на четвёртую он жевать почему-то перестал, он просто сидел за партой и выворачивал карманы.

Пятый «А» почти в полном составе сходил к дверям пятого «В» — Сорокин всё ещё читал Симагина.

— Капитан,— сказал пятый «А» Диме Молчанову,— он читает, а ты почему-то не ешь? Ты что, перестал готовиться?

Дима развёл руками:

— Деньги кончились!

— Так можно и проиграть...— сказал Туркин, перестав быть весёлым. Но он был ещё и находчивым и потому сказал: — Давайте денежки! Организуем фосфор в складчину!

Всем классом побежали в буфет и купили шесть последних бутербродов со шпротами, а ещё один выпросили у Кольки-футболиста (ему фосфор всё равно не нужен). Дима принял бутерброды с мужеством борца, готового на жертвы, и стал усиленно готовиться к матчу не только на переменах, но и на уроках. Сорокин не выпускал из рук книжку Симагина. Матч перенесли на завтра.

— А дома ты тоже будешь готовиться? — спросил Диму пятый «А» после занятий.

— Не знаю...— неуверенно сказал Дима.— У нас мясной обед...

— Тогда идём готовиться к нам,— предложил Коля Николюкин.— У нас уха, папа вчера был на рыбалке.

— А вечером можешь готовиться у нас,— сказал Туркин.— У нас жареная рыба.

Дима Колчанов охотно согласился. У Коли Николюкина за обедом он «проработал» уху из ершей, а вечером у Туркина «усвоил» за ужином жареную рыбу...

Утром следующего дня Диму в классе ожидал сюрприз. Под страшным секретным воззванием «Все силы на фосфоризацию капитана Сого!» пятый «А» притащил в портфелях всякую всячину: и рыбные пироги, и бутерброды, и даже несколько банок консервов. Сорокин жадно доглатывал последние страницы «Атаки на короля». Дима сложил приношения в парту и стал поглощать по очереди бутерброды, пироги и консервы. Он чувствовал прилив сил. Сорокину уже казалось, что книгу «Атака на короля» написал не Симагин, а он сам. Он мог пересчитать наизусть количество запятых на каждой странице.

На последней перемене в пятый «А» вошёл «хор мальчиков» из пятого «В» и так свистнул, что в классе задрожали стёкла. Хоровой свист означал, что Сорокин к бою готов. Но Дима неожиданно заявил:

— Я не живу за счёт чужого фосфора, я накапливаю свой. Я пока не в форме!

От неожиданности пятый «А» просто охнул, а всегда спокойный Костя Стрельников неожиданно горячо удивился.

— Что значит не в форме! — закричал он, взвиваясь чуть не под самый потолок.— Столько слопал всякой вся-я-я...

Если бы пятый «А» не охнул ещё раз, фосфорическая тайна выплыла бы наружу. Тем более что «хор мальчиков» из пятого «В» сразу же спросил вразнобой:

— Чего, чего он у вас слопал?

— Я хоч-чу ск-к-казать,— заикаясь, проговорил Костя,— он столько проглотил всяких учебных пособий...

— Ладно,— сказал староста пятого «В» Саня Петушков.— Будешь готов — свистни!

Когда «хор мальчиков» закрыл за собой дверь, химик Гусев подошёл к капитану и сказал:

— Слушай, Димыч, по моим подсчётам ты накопил в своей башке столько фосфора, что можешь стать чемпионом мира среди пятиклассников!

— А если я чувствую, что у меня в голове ещё немного не хватает, тогда что?!

Гусев внимательно присмотрелся к Диме и сказал:

— Ладно, если не хватает... Так и быть, после уроков поведём тебя в рыбное кафе!

— А почему в рыбное? — спросил Дима.— Фосфор есть и в пирожках, и в шоколаде, и в какао!

— Ладно! — сказал Гусев.— Будет тебе какао!

И, забравшись на парту, бросил клич, как Минин и Пожарский:

— Ребята, ещё раз все деньги на разгром врага!

На площади Моссовета в кафе «Отдых» официантка принесла Диме Колчанову, Шуре Гусеву и всем остальным членам фосфорной комиссии вазу с пирожными, шоколад и какао. Весёлый и находчивый Туркин сказал:

— Что перед нами? Перед нами «плоды просвещения»! Отвернёмся?

Наташа Рыбкина проглотила слюну и повернулась к Диме боком. Комиссия мужественно уставилась в окно, стараясь не принюхиваться к волшебным запахам, струящимся из вазы и из чашек с какао.

— Готов? — сурово спросил Шура Гусев Диму, когда ваза осталась пустой.

— Почти,— заверил комиссию Дима,—

почти готов... остались самые пустяки...— В глазах у него все заметили какой-то странный, очень лёгкий блеск.

— Пойдёшь к Наташке,— решительно сказал Шура Гусев.— У них сегодня именины...

Через час Дима сидел за столом у Наташи Рыбкиной, счастливой и сияющей, и праздновал с родственниками Наташи день рождения её бабушки. В это время фосфорная комиссия в полном составе стояла на лестничной площадке и в наступающих сумерках ждала, когда Дима, по словам Туркина, окончит заниматься торторазработками. И конец, который бывает всему в жизни, наступил.

Дима появился на лестничной площадке и огласил её громким иканием. Комиссия радостно и торжественно ахнула. В кромешной тьме круглое лицо капитана Сого излучало мягкий фосфорический свет! Оно светилось, как циферблат от часов! Над головой Димы стояло сияние синего медицинского света!

Спускавшаяся сверху старушка оглянулась и сказала:

— Свят! Свят! Свят! — перекрестилась и отвесила Диме низкий поклон.

— Завтра матч! — вынесла приговор вполне удовлетворённая комиссия.

Но капитану Соври-голове, очевидно, больше нравилась сама подготовка к матчу, и потому он спросил:

— А почему, собственно, завтра?

Наташа Рыбкина не поверила своим ушам, а Костя Стрельников, вдруг научившийся удивляться, закричал:

— Какого тебе ещё торта надо?! — и стал грозно приближаться к Диме.

— Фигу тебе! — сказал Шура Гусев.

— А в фигах разве есть фосфор? — благодушно спросил Дима, оглушённый, наверное, количеством съеденных «плодов просвещения».

— В этих нет! — ответил Гусев, поднося два кукиша к светящемуся носу капитана.— Завтра будешь играть как миленький!

— И смотри,— сказал помрачневший Туркин.— Не подгадь! Ваше сиятельство... то есть... наше сиятельство!

— На маленьком шахматном поле большое искусство живёт! — пели девчонки пятого «А», сопровождая капитана Соври-голову на бой в пятый «В».

Рванув дверь в крепость противника, тихо шелестящего разными шахматными пособиями, Дима шагнул за порог. Как тихий ветер, шелестели приглушённые предбоевым напряжением голоса:

— Ж-6... Нет, нет... Е-2... Ж-6 же! Ах, ты куда тянешь пешку...

Дима после небольшой, но эффектной паузы свистнул. Это был художественный свист, в котором жажда боя и уверенность в победе сочетались с презрением к несветящемуся противнику. После этого Дима потряс над головой шахматной доской, расставил фигуры.

Сорокин, слегка бледный, с губами, сложенными жёстко, сел против Димы. Он был тускл, как запылённое стекло. Первую партию Дима Колчанов проиграл Сорокину на десятом ходу.

Ошеломлённый пятый «А» вывел Диму в коридор и спросил:

— В чём дело?

Под гнетущее молчание своих и под ликующие крики пятого «В» Дима долго анализировал что-то в своей голове. Потом шмыгнул носом и произнёс одно-единственное загадочное слово:

— Стены!

— При чем тут стены? — спросил Костя Стрельников.

— А при том,— сказал Дима.— Мы играем в пятом «В», он для Сорокина — дом родной, а дома, как известно, и стены помогают.

— Ты не про стены говори, а говори про что предлагаешь!

— Что я предлагаю, я предлагаю играть следующую партию в нашем классе!

— А в нашем классе ты выиграешь? — спросил пятый «А».

— Ха! Если к фосфору прибавить стены — ни один Сорокин не устоит!

С криками разного характера шахматную доску перенесли в пятый «А».

Вторую партию Дима проиграл на шестнадцатом ходу...

Сорокин поднялся из-за стола бледный, если не сказать — серый. От волнения. Даже мало понимающему в шахматах было видно, какую превосходную комбинацию он провёл сейчас! Даже мало понимающий в шахматах сообразил, что это стоило ему труда! Всё-таки Дмитрий Николаевич Колчанов был чемпионом в прошлом году не за здорово живёшь! Значит, чего-то стоил Сорокин! На этот раз Сорокина бросились обнимать и враги, и друзья. Потом его подбросили несколько раз под потолок и всей орущей компанией вынесли на руках из класса.

И только химик Гусев никак не мог успокоиться. ФОСФОР — сила или не сила?!

Уже одетый, с портфелем в руках и вполне уверенный, что ФОСФОР — всё-таки сила, Шура заглянул в свой класс. Там опять вовсю светило солнце, тропические тени от плюща трепетали на стене и солнечный слон стоял между классной доской и партами. Дима Колчанов сидел над шахматной доской, обхватив руками свою фосфорическую голову.

— Да,— сказал задумчиво химик Шура.— Видно, кроме фосфора, надо что-то ещё иметь в голове...

Он тихо закрыл дверь.

На последней парте сидела никем не замеченная до сих пор Наташа Рыбкина. Она сказала:

— Димыч, а что там дальше было... в Конго?

— Конго...— ответил, не оборачиваясь, капитан.— Конго — это тебе не шахматы... там такое было... такое...

Блистающие, сверкающие пылинки дрогнули — как будто бы солнечный слон тихо вздохнул вместе с Наташей Рыбкиной.

ЛЕОНИД КАМИНСКИЙ

НАЧИНАЮ НОВУЮ ЖИЗНЬ

Юра лежал на диване, смотрел в потолок и мысленно ругал себя: «Давно пора взяться за уроки, а я лежу себе, и хоть бы что! Абсолютно никакой силы воли! Так и жизнь пройдёт, а я ничего не успею сделать. Никаких открытий, никаких рекордов... Помню, где-то читал, что Моцарт уже в три года музыку сочинял. А я? Я даже бабушке письмо сочинить не могу! И в школе сплошные неприятности. Взять хотя бы последний месяц. Два раза проспал. По физкультуре — «пара»: забыл дома кеды. По литературе — трояк: не мог вспомнить, почему поссорился Иван Иванович с Иваном Никифоровичем... Нет, так дальше не пойдёт! Пора начинать новую жизнь. Прямо с завтрашнего дня. Что у нас завтра? Пятница? Нет, лучше с новой недели! Пропускаю два дня и сразу — с понедельника! И никаких себе поблажек!»

Юра решительно вскочил с дивана, вырвал из тетради лист бумаги и стал писать:

«ПЛАН ДЕЙСТВИЙ № 1

1. Начать новую жизнь (с понедельника).

2. Ежедневно вставать в 6 часов 15 минут.

3. Купить гантели и делать зарядку с последующим обливанием ледяной водой.

4. Исправить двойку по немецкому и изучить ещё два иностранных языка.

5. Приходить в школу за 10 минут до прихода учителя.

6. Ответить бабушке на прошлогоднее письмо.

7. Выяснить, почему поссорился Иван Иванович с Иваном Никифоровичем».

Юра отложил авторучку и внимательно изучил план. Хоть пунктов получилось маловато, он всё же остался доволен:

— Ну, что ж, доживём до понедельника!

...В понедельник Юра опоздал в школу. Нет, он не проспал. Наоборот, встал на полчаса раньше, чтобы начать новую жизнь. По плану. Но легко сказать: «По плану»! А где он?

На столе его не было, на диване тоже. Юра искал его под кроватью, на шкафу, перевернул всю комнату — никаких результатов: «План действий № 1» как сквозь землю провалился!

«Ничего,— успокоил себя Юра,— трудности только закаляют силу воли!»

Он решительно вырвал из тетради лист бумаги и написал:

«ПЛАН ДЕЙСТВИЙ № 2

1. Найти «План действий № 1».

2. Начать новую жизнь (со следующего понедельника)».

ХВОРОСТУ ВОЗ

Витя Брюквин по прозвищу Это Самое выскочил из класса и весело помчался по лестнице, перескакивая сразу через три ступеньки. У входа в гардероб он чуть не сбил с ног худого человека с узкой, длинной бородой. Витя мельком взглянул на него и замер:

— Ой, извините! Не может быть! Неужели вы, это самое, как его, ну, в общем, этот, как говорится, классик?

— А вы разве, юноша, меня знаете? — недовольно спросил незнакомец.

— А как же! — обрадовался Витя.— Вы ещё на портрете — прямо как живой! Ну, портрет, который у доски висит, между этим, как его, ну, Гоголем и этим, ну, Крыловым. Да мы же как раз вас сейчас проходим: «Дед Мазай» и эти, как их, «зайцы»! Потом «Мужичок», это самое, «с ноготок»! Я только вчера учил ваши стихи! Хотите прочту?

И, не дожидаясь ответа, Витя быстро стал декламировать:

— Однажды, в студёную, это самое, зимнюю пору, я из лесу, ну, значит, вышел; был, это самое, в общем, сильный мороз.

Гляжу, это самое, поднимается, это самое, медленно, это самое, в гору, это самое, ну, как его, лошадка, везущая, это самое... Ну, в общем, как говорится, одним словом, хворосту воз...

— Извольте сейчас же прекратить! — сердито прервал Витю классик.— Что вы сделали с моими стихами?! Вы что, издеваетесь? Не хворосту воз, а целый воз словесного мусора! Безобразие! Как зовут? Как фамилия?

— Брюк-вин... Вик-к-ктор...— стал заикаться Витя.

— Брюквин! Виктор! — вдруг послышался над ухом голос учительницы Людмилы Аркадьевны.— Ты что, заснул? Третий раз к тебе обращаюсь! Стихи выучил? Иди отвечать!

— Отрывок из поэмы «Крестьянские дети»! — начал Витя.— Поэта Некрасова Н.А.,— добавил он и незаметно покосился на портрет. Классик смотрел в сторону.

Однажды, в студеную зимнюю пору,
Я из лесу вышел; был сильный мороз.
Гляжу, поднимается медленно в гору...

И тут весь класс с удивлением услышал, как Витя Брюквин по прозвищу Это Самое прочел без запинки весь отрывок. Без всяких посторонних словечек. Он ни разу не сказал ни «это самое», ни «как его». И даже ни разу не сказал «ну»! Нет, одно «ну» он всё же сказал:

«Ну, мёртвая!» — крикнул малюточка басом,
Рванул под уздцы и быстрей зашагал.

Но это «ну» не считается, потому что оно было у самого Николая Алексеевича Некрасова.

СОЧИНЕНИЕ

Лена сидела за столом и делала уроки. Смеркалось, но от снега, лежавшего во дворе сугробами, в комнате было ещё светло.

Перед Леной лежала раскрытая тетрадь, в которой было написано всего две фразы:

Как я помогаю маме.
Сочинение.

Дальше работа не шла. Где-то у соседей играл магнитофон. Слышно было, как Алла Пугачёва настойчиво повторяла: «Я так хочу, чтобы лето не кончалось!..»

«А правда,— мечтательно подумала Лена,— хорошо, если бы лето не кончалось!.. Загорай себе, купайся, и никаких тебе сочинений!»

Она снова прочитала заголовок: «Как я помогаю маме». «А как я помогаю? И когда тут помогать, если на дом столько задают!»

В комнате загорелся свет: это вошла мама.

— Сиди, сиди, я тебе мешать не буду, я только в комнате немного приберу.— Она стала протирать книжные полки тряпкой.

Лена начала писать:

«Я помогаю маме по хозяйству. Убираю квартиру, вытираю тряпкой пыль с мебели».

— Что же ты свою одежду разбросала по всей комнате? — спросила мама. Вопрос был, конечно, риторическим, потому что мама и не ждала ответа. Она стала складывать вещи в шкаф.

«Раскладываю вещи по местам»,— написала Лена.

— Кстати, передник твой постирать бы нужно,— продолжала мама разговаривать сама с собой.

«Стираю бельё»,— написала Лена, потом подумала и добавила: «И глажу».

— Мама, у меня там на платье пуговица оторвалась,— напомнила Лена и написала: «Пришиваю пуговицы, если нужно».

Мама пришила пуговицу, потом вышла на кухню и вернулась с ведром и шваброй.

Отодвигая стулья, стала протирать пол.

— Ну-ка, подними ноги,— сказала мама, проворно орудуя тряпкой.

— Мама, ты мне мешаешь! — проворчала Лена и, не опуская ног, написала: «Мою полы».

Из кухни потянуло чем-то горелым.

— Ой, у меня картошка на плите! — крикнула мама и бросилась на кухню.

«Чищу картошку и готовлю ужин»,— написала Лена.

— Лена, ужинать! — позвала из кухни мама.

— Сейчас! — Лена откинулась на спинку стула и потянулась.

В прихожей раздался звонок.

— Лена, это к тебе! — крикнула мама.

В комнату, румяная от мороза, вошла Оля, одноклассница Лены.

— Я ненадолго. Мама послала за хлебом, и я решила по дороге — к тебе.

Лена взяла ручку и написала: «Хожу в магазин за хлебом и другими продуктами».

— Ты что, сочинение пишешь? — спросила Оля.— Дай-ка посмотреть.

Оля заглянула в тетрадь и прыснула:

— Ну ты даёшь! Да это же всё неправда! Ты же всё это сочинила!

— А кто сказал, что нельзя сочинять? — обиделась Лена.— Ведь поэтому так и называется: со-чи-не-ние!

АВТОПОРТРЕТ

Людмила Аркадьевна подошла к доске и написала красивым, каллиграфическим почерком:

Портрет моего одноклассника.

Потом учительница повернулась к классу и спросила:

— Всем понятна тема сочинения? Постарайтесь лаконично описать внешность и основные черты характера какого-нибудь ученика или ученицы из вашего класса. Вопросы есть?

Аня Карнаухова подняла руку:

— А фамилию называть? Ну, того, чей портрет?

Петухов с задней парты быстро прокомментировал:

— А как же без фамилии? Опиши меня: «А. Карнаухова. Портрет ученика А. Петухова. Масло. Третьяковская галерея»...

— Петухов, не паясничай,— перебила учительница.— Фамилию называть не нужно. Если литературный портрет будет точным, мы и так догадаемся, о ком идёт речь. Итак, начали!

Витя Брюквин вздохнул и задумался. Кого описывать? Петухова, что ли? «Мой одноклассник рыжий и долговязый, как жердь...» Ещё по шее даст, чего доброго! А может, Юрку Шурупова? «У моего товарища длинный нос

и два симметричных глаза по бокам...» Ерунда какая-то! У всех два глаза по бокам!

Уже прошло пол-урока, а перед Витей всё ещё лежала чистая тетрадь. Рядом что-то быстро строчила Карнаухова. Подумаешь, писательница!

И тут Брюквину пришла в голову гениальная мысль: а чего мучиться-то? Списать — и всё! В первый раз, что ли?

Витя уселся поудобнее, скосил глаза в сторону тетради Карнауховой и стал переписывать:

«Мой одноклассник невысокого роста, вихрастый, волосы светлые. Уши чуть оттопыренные, нос вздёрнутый. Усидеть спокойно не может, всё время вертится...»

Витя писал быстро, чтобы успеть до конца урока. В смысл он не вникал — было некогда.

«...Когда услышит какую-нибудь шутку, не смеётся, а говорит: «Ха-ха!» Свою речь обычно пересыпает различными вводными словечками, вроде: «ну, это самое», «как его», «вообще», «одним словом» и так далее...»

Тут Брюквин перестал писать и подозрительно посмотрел на свою соседку.

— Ты что это, Карнаухова,— зашептал Витя,— ты, это самое, как его, про меня, что ли, пишешь? Ну, в общем, это самое, мой портрет?

— А хоть бы и твой! Тебе-то что?

— Ха-ха! — сказал Витя.— И не похоже вовсе!

— Брюквин! Не мешай Карнауховой! — вмешалась Людмила Аркадьевна.— Ты что, уже закончил сочинение? Давай-ка сюда тетрадь!

— Я это, как его, ещё не совсем... Одним словом, почти заканчиваю...

— Ничего, ничего, разберёмся. Неси своё сочинение!

Витя нехотя встал и пошёл к учительнице.

Людмила Аркадьевна открыла тетрадь, пробежала глазами по корявым Витиным строчкам и удивлённо подняла брови:

— Так... Очень оригинально! Ребята, вы знаете, что нам написал Брюквин? Ни за что не угадаете: ав-то-порт-рет!

ПИСЬМО

Здравствуй, друг Серёга! Пишет тебе Юра Шурупов. Как я уже тебе писал раньше, я отдыхаю у бабушки в деревне. Здесь хорошо. Щебечут птицы, мычат коровы.

Деревня находится недалеко от станции, мимо которой проходят пассажирские и товарные поезда. Расстояние, которое пассажирский поезд проходит за 3 часа, товарный проходит за 5 часов. Теперь представь, что поезда отправились одновременно навстречу друг другу и к моменту их встречи путь, пройденный пассажирским поездом, оказался равным 180 километрам. Спрашивается: какой путь прошёл товарный поезд? Но это я так, к слову.

Моя бабушка работает в совхозном огороде. Чего только здесь не растёт! Недавно с огорода собрали моркови 176 килограммов, капусты на 468 килограммов больше, чем моркови, а картофеля на 750 килограммов больше, чем моркови и капусты, вместе взятых. Представляешь, сколько собрали овощей.

Ты спрашиваешь в письме, какой глубины речка и есть ли ягоды в лесу. На это я тебе ответить не могу, так как купаться и ходить в лес некогда: целыми днями я решаю разные задачи. Ты же знаешь, что по математике у меня сплошные двойки, потому что на уроках я играл в «крестики-нолики» и в «морской бой».

Вот я и взялся за ум. Я уже решил из учебника 34 задачи, что составляет 2/5 от всех задач, или 40 процентов. Как видишь, Серёга, мне не до отдыха! Ну, ничего, в сентябре отдохну!

Вот и всё. Как твои дела? Как отдыхаешь? Пиши.

Больше писать нечего. Пойду отнесу это письмо на почту. Почта находится от нашего дома на расстоянии 5 километров. Если я буду идти со скоростью 3 километра в час, то я дойду до почты за 100 минут.

Твой друг Юра Шурупов.

УДИВИТЕЛЬНЫЕ ПРИКЛЮЧЕНИЯ ВИТИ БРЮКВИНА

— Здравствуйте, Людмила Аркадьевна, я — папа Вити Брюквина. Вы меня вызывали?

— Вызывала. Садитесь, пожалуйста!

— Что-нибудь случилось? — испуганно спросил папа Брюквин.

— Да нет, ничего страшного. Вот почитайте, пожалуйста.

Учительница достала из портфеля тетрадь, раскрыла её и положила перед Витиным папой.

— Это сочинение вашего сына: «Как я отдыхал летом».

— А что? — удивился папа.— Вроде аккуратно, почти без помарок...

— Нет, вы почитайте. Вот отсюда.

— «...Ничем не выразить смятения, овладевшего мною, когда я погрузился в воду. Я хорошо плаваю, но я не мог сразу вынырнуть на поверхность и чуть не задохнулся. Лишь когда подхватившая меня волна, пронеся изрядное расстояние по направлению к берегу, разбилась и отхлынула, оставив меня почти на суше полумёртвым от воды, которой я нахлебался, я перевёл дух и опомнился... Последний вал едва не оказался для меня роковым, подхватив, он вынес или, вернее, бросил меня на скалу с такой силой, что я лишился чувств и оказался совершенно беспомощным, и если б море снова подхватило меня, я бы неминуемо захлебнулся...»

Папа Брюквин побледнел.

— Какой ужас! Он мне ничего не рассказывал. Неужели это случилось в пионерлагере?

— Не волнуйтесь,— сказала Людмила Аркадьевна,— читайте дальше. Вот здесь.

— «...Утешившись мыслями о благополучном избавлении от смертельной опасности, я стал осматриваться кругом, чтобы узнать, куда я попал. Моё радостное настроение разом упало: я понял, что хотя и спасён, но не избавлен от дальнейших ужасов и бед. На мне не оставалось сухой нитки, мне нечего было есть, у меня не было даже воды, чтобы подкрепить свои силы...»

— Что это? — ошарашенно спросил папа Брюквин.

— Успокойтесь, пожалуйста,— сказала учительница.— Это всё случилось не с ним. Он всё списал.

— У кого? У Карнауховой?

— Нет, не у неё. У Даниэла Дефо.

— У кого? Вы хотите сказать...

— Да. Из книги «Жизнь и удивительные приключения Робинзона Крузо».

— Ну, я ему покажу «удивительные приключения»!

...Папа вошёл в квартиру, снял пальто и громко спросил:

— Где Виктор?

— Тише,— сказала мама,— ребёнок занимается!

Витя действительно сидел за столом и что-то усердно писал, поминутно заглядывая в раскрытую книгу. Папа взял у него тетрадь и прочёл:

«...Лошади бежали дружно. Но ветер час от часу становился сильнее. Облако обратилось в белую тучу. Пошёл мелкий снег — и вдруг повалил хлопьями. Ветер завыл: сделалась метель...»

— Так,— тихо спросил папа,— сочинение пишешь?

— Ага,— ответил Витя.— К четвергу задавали. На тему: «Как я провёл зимние каникулы».

— Молодец,— сказал папа.— Значит, сочинение. При помощи Александра Сергеевича Пушкина. К четвергу... Кстати,— грозно добавил папа,— привет тебе от Пятницы. И от Робинзона Крузо!

СОДЕРЖАНИЕ

ВИКТОР ДРАГУНСКИЙ

ЮРИЙ КОВАЛЬ

ВАЛЕРИЙ МЕДВЕДЕВ

ЛЕОНИД КАМИНСКИЙ

Серия «Школьная библиотека»

СМЕШНЫЕ РАССКАЗЫ О ШКОЛЕ

Для младшего и среднего школьного возраста

Составитель
Юдаева Марина Владимировна

Художник

Соколов Геннадий Валентинович

Главный редактор А. Алир
Технический редактор М.В.Юдаева
Компьютерная вёрстка Д.А.Володин
Корректор Л.М.Агафонова
Ответственный за выпуск А.В.Сенюшов

Сертификат соответствия
РОСС RU. АЕ 51. Н 15427 № 0305667 от 08.06.2011
Подписано в печать 18.04.2012. Формат 60x90 1/16.
Бумага офсетная. Печать офсетная.
Усл. п. л. 7. Гарнитура «Школьная».
Тираж 20 000 экз. Заказ № 915.

Издательство «Самовар»
125047, Москва, ул. Александра Невского, д.1.

Информация о книгах на сайте www.knigi.ru

Оптовая продажа: ООО «Атберг 98»
(495) 925-51-39 www.atberg.aha.ru

Интернет-магазин: www.books-land.ru

Отпечатано в полном соответствии с качеством предоставленных издательством материалов в ОАО «Тверской ордена Трудового Красного Знамени полиграфкомбинат детской литературы им. 50-летия СССР».
170040, Тверь, проспект 50 лет Октября, 46.

ISBN 978-5-9781-0278-9

В серии «ШКОЛЬНАЯ БИБЛИОТЕКА» вышли книги:

Т.Александрова	«Домовёнок Кузька»
П.Бажов	«Уральские сказы»
В.Бианки	«Рассказы Бианки»
К.Булычёв	«Девочка с Земли»
Е.Велтистов	«Приключения Электроника»
А.Волков	«Волшебник Изумрудного города»
	«Урфин Джюс и его деревянные солдаты»
	«Семь подземных королей»
	«Огненный бог Марранов»
	«Жёлтый туман»
А.Гайдар	«Тимур и его команда»
О.Генри	«Вождь Краснокожих»
Л.Гераскина	«В Стране невыученных уроков»
	«В Стране невыученных уроков-2»
	«Мягкий характер»
В.Губарев	«Королевство кривых зеркал»
Д.Дефо	«Робинзон Крузо»
В.Драгунский	«Где это видано, где это слыхано…»
	«Денискины рассказы»
Б.Житков	«Рассказы»
Ю.Коваль	«Алый» и другие рассказы»
	«Приключения Васи Куролесова»
	«Куролесов и Матрос подключаются»
А.Конан Дойл	«Рассказы о Шерлоке Холмсе»
И.Крылов	«Басни Крылова»
Л.Кэрролл	«Алиса в Стране Чудес»
Т.Крюкова	«Женька Москвичёв и его друзья»
Л.Лагин	«Старик Хоттабыч»
Д.Лондон	«Белый Клык»
В.Медведев	«Баранкин, будь человеком!»
С.Михалков	«Праздник непослушания»
Н.Носов	«Витя Малеев в школе и дома»
	«Мишкина каша»
	«Фантазёры»
Ю.Олеша	«Три толстяка»
В.Осеева	«Волшебное слово»
В.Приёмыхов	«Князь Удача Андреевич»